hiwmor
Y CYMOEDD

CYFRES  TI'N JOCAN

hiwmor
Y CYMOEDD

Cennard Davies

ylLolfa

Cyflwynedig i Daniel –
y genhedlaeth nesaf

Argraffiad cyntaf: 2011

Dymuna'r cyhoeddwyr gydnabod cymorth ariannol
Cyngor Llyfrau Cymru

Cartwnau: Huw Aaron

Rhif Llyfr Rhyngwladol:
978 1 84771 325 4

Cyhoeddwyd, argraffwyd a rhwymwyd yng Nghymru
gan Y Lolfa Cyf., Talybont, Ceredigion SY24 5HE
e-bost ylolfa@ylolfa.com
gwefan www.ylolfa.com
ffôn (01970) 832 304
ffacs 832 782

Cynnwys

RHAGAIR

Yn ddaearyddol, mae'r Cymoedd yn ymestyn o Gwm Gwendraeth, ardal y glo carreg, yn y gorllewin draw i Gwm Sirhywi yn y dwyrain. Nid ansawdd y glo yn unig sy'n newid ar y daith tua'r dwyrain, ond natur y gymdeithas yn ogystal, gyda'r cymoedd yn troi'n fwy Saesneg eu hiaith wrth ichi ddynesu at Went. Mae Cwm Rhondda wedi ei leoli rywle tua'r canol, ac er 'mod i'n fodlon cyfaddef fy mod yn frodor balch a hynod o ragfarnllyd, mentraf ddweud taw dyma'r cwm enwocaf ohonynt i gyd! Hanesion o'r Rhondda sydd yn y gyfrol fach hon, ond o gofio bod enw Cwm Rhondda yn cynrychioli hanfod y Cymoedd yn eu crynswth ym meddyliau pobl ledled y byd, gall brodor unllygeidiog fel fi fentro defnyddio'r teitl *Hiwmor y Cymoedd* yn hyderus. Braint y cymoedd eraill yw ein bod yn barod i'w harddel!

Bywyd caled, peryglus oedd bywyd y Cymoedd ar y gorau wrth iddynt gael eu datblygu'n ddiwydiannol. Un o'r ychydig bethau sydd gennyf o eiddo fy hen dad-cu, a ddaeth i'r Rhondda i godi tai ganol y bedwaredd ganrif ar bymtheg, yw ei bistol! Glo oedd yn rheoli bywydau pawb a bu'n feistr caled eithriadol. Damweiniau, ffrwydradau, afiechydon, diweithdra, tlodi — fe'u profwyd i gyd gan y glöwr. Yn ein stryd ni roedd hen wraig a gâi ei hadnabod gan bawb fel Mrs Rees Laugh and Cry. Un funud fe fyddai hi'n rolio chwerthin a'r funud nesaf yn llefain fel y glaw, a rhywbeth felly, dybia i, oedd bywyd y glöwr. Yn sicr, roedd hiwmor yn arf a ddefnyddiai yn ei frwydr i oroesi a daeth ei ffraethineb yn ddihareb. Pan ymwelodd yr Eisteddfod Genedlaethol â Chwm Rhondda am yr unig dro yn ei hanes yn 1928, roedd yn y rhaglen gystadleuaeth a ofynnai am gasgliad o hanesion yn ymwneud â ffraethineb y glöwr. Cyhoeddwyd y ddau gasgliad buddugol gyda'i gilydd yn un gyfrol fach yn dwyn y teitl *Ffraethebion y Glöwr Cymreig* a chynhwysais ambell stori o'r casgliad hwnnw ynghyd â rhai a gofnodwyd gan David Williams (Alawydd Orchwy) yn ei gyfrol *Atgofion Bore Oes yn y Rhondda*. Bu'r papur wythnosol *Tarian y Gweithiwr* a chylchgrawn Cwmni'r Ocean yn gloddfa gyfoethog o hanesion am gymeriadau'r ardal, ond yn ogystal â'r defnyddiau a roddwyd ar glawr cadwyd llawer o storïau am ddigwyddiadau doniol a chymeriadau gwreiddiol yn fyw yng nghof Gwŷr y Gloran — sef brodorion gwreiddiol yr ardal — a chawsant eu trosglwyddo ar lafar o genhedlaeth i genhedlaeth.

Gwelodd Cwm Rhondda gynnydd sydyn iawn yn ei boblogaeth ganol y bedwaredd ganrif ar bymtheg. Yn wir, rhaid edrych i'r Unol Daleithiau yn yr un cyfnod i ddod o hyd i enghreifftiau o dwf tebyg. Pan ddaeth fy hen dad-cu yma o'r gorllewin, ychydig o bobl oedd yn byw yn y cwm. Yn wir, dim ond 16,941 oedd poblogaeth Rhondda Fawr a Rhondda Fach gyda'i gilydd yn 1871, a'r rhan fwyaf o'r rheiny yn trigo yn rhannau isaf y dyffryn o gwmpas y Porth. Erbyn i fy nhad-cu briodi yn 1891, roedd y nifer wedi codi i 88,351 a phan aned fy nhad yn 1903, roedd yn 113,735. Erbyn 1921 roedd y boblogaeth wedi cynyddu i 167,900. Hynny yw, rhwng cyfnod canol oed ei dad-cu a chyfnod llencyndod 'Nhad, roedd y boblogaeth wedi tyfu ddeg gwaith drosodd! Yn sgil yr addewid am waith a chyflogau uwch, tyrrodd pobl i'r Rhondda o bob rhan o'r ynysoedd hyn a thu hwnt. Yng ngeiriau un tribannwr,

Dylifa bechgyn ffolion
I'r Cwm o hyd yn gyson;
O Wlad yr Haf hwy ddônt yn sgryd
Fel ynfyd haid o ladron.

Wrth i Gymry prin eu Saesneg ddod wyneb yn wyneb â'r giwed anghyfiaith yma, cododd sawl sefyllfa ddoniol wrth i'r ddwy garfan ymgodymu ag ieithoedd ei gilydd.

Fodd bynnag, rhaid prysuro i ddweud nad rhywbeth a berthyn i orffennol pell yw hiwmor y Cymoedd a da yw cael cyfle i sôn am gymeriadau a digwyddiadau cyfoes. Fel yn hanes llawer o gyfranwyr eraill i'r gyfres hon, bu bywyd ysgol, yn ddisgybl ac yn athro, yn ffynhonnell i lawer o storïau fel y bu bywyd gwleidyddol bywiog a lliwgar Cwm Rhondda. Wedyn, mae'r llysenwau sy'n britho'r ardal yn greadigaethau craff a doniol, pob un â'i esboniad wedi ei seilio ar ryw ddigwyddiad neu nodwedd bersonol. Does ond gobeithio bod yma rywbeth at ddant pawb, ambell beth a ddaw â gwên i'ch wyneb ac y cewch ryw flas bach ar fwrlwm bywyd Cwm Rhondda yn ei holl amrywiaeth rhyfeddol fel y bu ac fel y mae.

Cennard Davies
Treorci, Ebrill 2011

SHIFFT Y DYDD

Gwas fferm ym Mro Morgannwg oedd Wil, yn gweithio oriau hir am arian bach iawn. Pan elai i Ben-y-bont ar sgawt ambell nos Sadwrn sylwai nad oedd y coliers y siaradai â nhw yn y tafarndai yn brin o geiniog. Aeth i deimlo'n eiddigeddus iawn ac un nos Sadwrn penderfynodd ei fod am gefnu ar y fferm a thrio ei lwc yn y Rhondda. Er iddo brynu'r dillad a'r offer angenrheidiol, doedd ganddo fe ddim profiad o'r gwaith glo a chododd hynny amheuaeth ym meddwl manijar pwll y Bwllfa pan aeth ato i chwilio am waith.

"Ble oeddech chi'n gweithio o'r blaen?" oedd ei gwestiwn cyntaf i Wil.

"Yn y Cwtsh yn y Rhondda Fech, syr," atebodd Wil.

"Pwy lamps o'n nhw'n iwso yno?" gofynnodd y manijar drachefn.

"Dw i ddim yn siŵr iawn," atebodd Wil, "weth gwitho ar shifft y dydd own i."

★ ★ ★

"Does dim ofon gwaith arnot ti?" gofynnodd Matthew i'r helpwr newydd oedd wedi cael ei anfon ato i weithio.

"Ofon gwaith! Nac o's!" atebodd y llanc yn ddibetrus, "ac ro'dd Wil y ffeiarman yn gweud wrtho i nag o'dd yma ddim llawer o waith i neud i ga'l ei ofon a."

"O'r gora," meddai Matthew, "pwna bant," a chafodd y llanc fynd i ffordd aer gyfagos i symud cruglwyth o rwbish.

Ymhen dwy neu dair awr dyma Matthew yn rhoi tro amdano, a dyna lle roedd e yn ymyl y pentwr rwbish yn cysgu fel mochyn.

"Dihuna! Dihuna'r diawl bach!" meddai Matthew. "Ro'n i'n credu nad oedd dim ofon gwaith arnot ti, a dyma ti'n cysgu fel hyn."

"Do's dim ofon gwaith arna i chwaith," meddai'r llanc, "ne fyswn i ddim yn gorfadd lawr wrth ei ochr a."

★   ★   ★

Un a fu'n gweithio'n löwr yn y Rhondda oedd y llenor D. J. Williams ac mae e'n nodi yn ei hunangofiant, *Yn Chwech ar Hugain Oed*, nifer o enghreifftiau o wit parod ei gyd-weithwyr. Jac ddŵr dripheint oedd gan y rhan fwyaf o lowyr, ond fel y dywed D.J., 'y diwrnod cynt, wrth baratoi fy arfogaeth, yr oeddwn i, os gwelwch chi'n dda, yn fy nygn anwybodaeth o draddodiadau'r Cwm, wedi prynu jac bumpeint, – jac y byddai rhyfyg i neb ei dwyn o dan ei gesail, ond rhyw gawr o goediwr o Wlad y Gorllewin a'r clêd gloyw ar ei drowsis gan y chwys wedi caledu yn ei wneud o bell yn debyg i farwn Normanaidd yn ei wisg o ddur.

O'm gweld i y fan honno, y stacan bychan, bochgoch newydd adael gyrru'r wedd, yn eistedd y tu mewn i'r twll cloi gyda rhai o'r swyddogion fel cadno mewn cwb, gan ddisgwyl cael fy anfon at ryw lowr i weithio, a'r jac goedwigaidd honno wrth fy ochr, nid oedd ball ar sylwadau ffraeth y glowyr gyda'u hiwmor nodweddiadol wrth estyn eu lampau i mewn i'w cloi, y naill ar ôl y llall: "Sawl pâr o go'd wyt ti'n mynd i sefyll heddi', boi bach?" gofynnai un.

"Wyt ti wedi dod ag afon Teifi gyda ti yn y tanc 'na i dorri dy syched?" gofynnai un arall gan ledawgrymu o ba ran o'r wlad yr own i'n dod. (Cardi oedd pob Cymro na ddôi o'r North neu o Forgannwg ei hun yn ôl y ddaearyddiaeth leol.)

"Cadw dy fys yn deit ar y corcyn 'na, gwas," sylwai un arall. "Tai hwnnw'n slipo fe allet yn boddi ni'n net gyta'n giddyl." A chydag ymadroddion tebyg gan hwn a'r llall wrth fynd heibio fe ddiflannodd y dorf wynebau gwelwon hyn fel ysbrydion rywle i barwydydd y tywyllwch eithaf, bob un a'i lamp yn ei law a'i fywyd yn ei ddwrn i ddilyn ei orchwyl am y dydd.'

★   ★   ★

Hen halier oedd wedi colli ei goes mewn damwain dan ddaear oedd Twm Peg. Un noson ar ei ffordd i'r pwll dyma un o'r glowyr yn cwrdd ag e ac yn mentro dweud, "Ma nhw'n dweud, Tomos, bod X yn halier campus."

"Pwy – y Northman 'na?"

"Ia."

"Pwy wetws?"

"Rhai o'r gweithwyr."

"Pidwch 'u cretu nhw, celwydd i gyd. O's dim Northman yn y byd yn gallu halio. Achos pam? Achos dou beth. Yn ginta, ma ceffyl yn 'nifel call a do's gynto gynnig i Northman. Peth arall, dyw ceffyl ddim yn deall iaith y North; rhaid ichi whilia Cwmrâg sha ceffyl. Sôn am haliers, diawch a myto i, mi haliwn 'u penne nhw off tawn i heb yr hen beg 'ma!"

★ ★ ★

Doedd 'na fawr o groeso i wŷr y Glyn yng nglofa'r Allt ac roedd Griff a'i bartner yn dioddef llawer oherwydd hynny. Un noson, dwgodd rhywun eu bwyell a thrannoeth dyma Griff yn ceisio benthyg un gan Dai Jim o'r Allt oedd yn gweithio yn ei ymyl mewn hedin croes.

"Mae'n wir flin 'da fi, Griff," ebe Dai, "ond ry'n ni wedi gwneud penderfyniad yn yr hedin 'ma i beidio gadel i'r fwyall fynd ma's o'r hedin. Ond, cofiwch, mae perffaith groeso ichi ddod â'ch postyn draw fan hyn i'w drin."

"Popeth yn iawn," atebodd Griff gan ddychwelyd i'w dalcen ar y gwastad lle nad oedd angen help i symud dramiau.

Ymhen ychydig amser, dyma Dai Jim yn gweiddi yng ngenau'r talcen, "Hei, bois! Dewch draw i roi sgwt fech i'r ddram 'ma, os gwelwch yn dde."

"Mae'n wir flin 'da fi," medde Griff, "ond ry'n ni wedi gwneud penderfyniad yn y talcen 'ma i beidio rhoi sgwt i unrhyw un y tu fa's i'n talcen ni. Ond serch 'ny, mae croeso ichi gael sgwt, dim ond ichi ddod â'ch dram draw fanma."

★ ★ ★

Doedd iechyd a diogelwch y gweithwyr ddim yn uchel iawn ar agenda rhai o'r perchnogion pyllau glo a phan ddaeth trydan roedd rhai gweithwyr yn anwybyddu neu yn anymwybodol o'r perygl. Trydanwr oedd Dai Beese ac un diwrnod gweithiai gyda'i brentis yn un o swyddfeydd Cwmni'r Ocean. Tra oedd Dai i fyny yn y to, arhosai'r bachgen yn y stafell oddi tano yn disgwyl ei gyfarwyddiadau.

O'r diwedd, dyma Dai'n gweiddi,

"Wyt ti'n gallu gweld y ddwy weiren rwy'n eu gollwng drwy'r twll?"

"Ydw, siŵr," atebodd y bachgen.

"Wel, cydia yn un ohonyn nhw."

"Iawn. Wedi gwneud."

"Wyt ti'n teimlo rhywbeth?"

"Nagw, dim o gwbl."

"Popeth yn iawn 'te. Ond gofala, beth bynnag 'nei di, paid twtsha'r llall!"

★   ★   ★

'Slawer dydd, byddai'r glowyr yn cynnal dosbarth ar waelod hen bwll y Gwter cyn dechrau ar waith y bore, a dyna lle bydden nhw'n gosod posau i'w gilydd. Ymffrostiai Jac Mam-gu yn ei allu i wneud syms ond un bore dyma ei gyfaill Ben yn dweud wrtho, "Ma 'da fi sym iti y bore 'ma dw i'n siŵr na fyddi di'n gwbod yr ateb iddi."

"Beth yw hi?" medde Jac yn hyderus.

"Ta *bloater* a hanner yn costi cinog a dime, faint gelet ti am swllt?"

"Ma honna'n ddigon rhwydd," medde Jac gan ddechrau sgriblan ar ddarn o bapur, ond er gwaetha ei holl ymdrech methai'n lân â dod o hyd i'r ateb. O'r diwedd, dyma fe'n dweud, "Ffordd o'dd y sym 'na, Ben, dwed hi eto, 'nei di?"

"Ta *bloater* a hanner yn…"

"O, diain ariôd," medde Jac, "sdim rhyfadd 'mod i'n ca'l trafferth. Rwy wedi bod yn cownto mecryll drwy'r amser yn lle *bloaters*!"

★ ★ ★

Ar ôl gweithio i Gwmni'r Ocean am dros 55 mlynedd, cafodd Defi sioc pan alwyd e i swyddfa'r rheolwr un bore, a hwnnw'n dweud wrtho fod rhaid iddo ystyried ymddeol.

"Riteirio? Dyw e eriôd wedi croesi fy meddwl," ebe Defi. "Rwy wedi gweithio dan eich tad-cu, o dan eich tad a danoch chi ers i chi ddod yn fos ar y cwmni. 'Swn i'n gwpod nad o'dd y jobyn 'ma yn *permanent*, 'swn i ddim wedi ei gymryd e yn y lle cynta!"

WELSH AS SHE IS SPOKE

Mae llawer o hwyl i'w chael mewn dosbarthiadau dysgwyr gyda newydd-ddyfodiaid i'r Gymraeg yn chwilio am y gair priodol. Unwaith, roeddwn i wrthi yn Nant Gwrtheyrn yn llywio sesiwn adolygu lle roedd nifer am drafod y treigladau sy'n dilyn rhifolion. Dyna lle roedden ni wrthi trwy'r bore yn ymarfer, "un ci – un gath; dau gi – dwy gath; tri chi – tair cath" ac yn y blaen. Roeddwn i'n meddwl 'mod i wedi gwneud eithaf job ohoni a ches i brawf o hynny ar ôl swper y noson honno. Yr arfer ar ôl y dosbarthiadau oedd cael tipyn o hwyl, yn canu, adrodd storïau a sgwrsio'n gyffredinol. Dechreuodd llyfrgellydd o Sais oedd wedi dod i siarad yn eithaf rhugl adrodd hanes trafferth a gafodd un noson pan oedd yn fyfyriwr wrth gerdded i lawr y King's Road yn Chelsea. Mae'n debyg bod ychydig o Wyddelod meddw wedi ymosod arno a cheisio dwgyd ei arian – mewn geiriau eraill, ei fygio. Doeddwn i ddim yn siŵr sawl dihiryn oedd yn gyfrifol ac felly gofynnais iddo. Meddyliodd yn ddwys am ychydig ac yna cyhoeddi'n ddifrifol reit, "Dau fyger!" A dyna ichi brawf o athrylith y Gymraeg, nid yn unig yn llwyddo i gyflwyno'r ffeithiau ond ar yr un pryd yn mynegi teimlad yn ogystal!

★   ★   ★

Mae camynganu, camsillafu a chamddarllen yn gallu esgor ar broblemau mawr ar brydiau. Un bore rai blynyddoedd yn ôl codais a ffeindio bod y bachgen papurau wedi gadael cylchgrawn nad oeddwn wedi gweld ei debyg o'r blaen. Arferai fy mam-gu gyfeirio at rai oedd 'yn ymdrybaeddu mewn trythyllwch'. Er na ddeallwn ystyr y geiriau ar y pryd, rhaid cyfaddef eu bod yn swnio'n hynod o ddiddorol. Beth bynnag, wrth droi tudalennau'r cylchgrawn y bore hwnnw, dechreuais amgyffred ystyr y geiriau. Roedd ynddo luniau o ferched a gwrywod yn dinoethi eu doniau corfforol yn gwbl ddigywilydd, fel pe baent yn ymfalchïo yn eu rhyfyg. Synnais weld bod cyfeiriad ein tŷ wedi ei ysgrifennu gan y siopwr ar flaen y cylchgrawn a phenderfynais fynd â fe yn ôl ar unwaith. Dylwn esbonio taw perchnogion ein siop bapurau yw gŵr sy'n hanu o'r Rhondda'n wreiddiol a'i Saesnes o wraig, ill dau wedi dychwelyd o Loegr i gadw'r busnes ac yn bobl hyfryd dros ben. Roedd nifer o bobl yn y siop yn sgwrsio ac yn edrych ar bapurau, cylchgronau a chardiau a dywedais wrth Mrs S., "Dw i ddim yn credu taw fi archebodd y cylchgrawn 'ma. Mae 'na gamsyniad yn rhywle." "Wel," atebodd, "eich cyfeiriad chi sy ar y clawr. Ond arhoswch funud – fe edrycha i yn y llyfr." Agorodd lyfr mawr trwchus a symud ei bys yn araf i lawr y dudalen. "O, mae'n ddrwg 'da fi, ry'ch chi'n iawn. *Tits* sy'n dod i'ch tŷ chi bob wythnos." Edrychai'r cwsmeriaid eraill arna i'n syn ac mae'n siŵr 'mod i wedi cochi yn sgil ei sylw. "Am be... be... ry'ch chi'n...?" dechreuais ddweud gan symud yn nes at y cownter er mwyn cael gweld drosof fy hun. Ac yna fe'i gwelais. Roedd ei bys yn pwyntio at *Y Tyst*, papur wythnosol yr Annibynwyr! Ond dw i'n teimlo bod rhai pobl oedd yn y siop ar y pryd yn dal i edrych arna i braidd yn amheus pan af i heibio iddyn nhw ar y stryd.

* * *

Prin iawn oedd Saesneg llawer o'r bobl a symudodd o'r wlad i'r Rhondda ddiwedd y bedwaredd ganrif ar bymtheg. Gellid rhestru fy nhad-cu ar ochr Mam ymhlith y rhain. Fe'i magwyd ar Hirwaun a merch fferm o'r Rhigos oedd Mam-gu. Câi drafferth fawr wrth geisio deall hynodion yr iaith fain. Allai e ddim derbyn y gallai'r gair 'sheep' fod yn unigol a lluosog, ac i wneud yn gwbl siŵr bod pobl yn deall am beth roedd e'n siarad, defnyddiai 'sheeps' yn ddi-ffael wrth sôn am fwy nag un ddafad. Ran fynycha, cyfieithiad slafaidd o'r Gymraeg oedd ei Saesneg, a dywedai bethau fel "She's raining today." Unwaith roedd yn cael trafferth â'i goes a phenderfynodd alw'r meddyg, Dr Tribe, oedd yn gwbl ddi-Gymraeg. Er mwyn sicrhau ei fod yn gallu dweud yn gwmws wrth y doctor beth oedd yn bod, gofynnodd i Mam beth oedd bola'r goes yn Saesneg. Pan ddywedodd hi "calf of the leg", dywedodd wrthi am beidio â thynnu ei goes oherwydd gwyddai'n iawn taw llo oedd 'calf'! Er i Mam a'i chwaer geisio ei berswadio eu bod o ddifri, chafodd e mo'i argyhoeddi'n llwyr oherwydd pan ofynnodd Dr Tribe iddo beth oedd yn bod, atebodd, "Doctor bach, I have a pain in the calf of the belly of my leg."

★ ★ ★

Pan oedden ni'n blant roedden ni'n dwli cuddio yn y pantri a gadael y ffenest fach yn gilagored er mwyn clustfeinio ar y sgwrs rhwng Tad-cu a Mrs Slade, y wraig drws nesa a hanai o Lundain. Un diwrnod, dyma 'nhad-cu yn dechrau achwyn ei gŵyn am ryw Sais, un o'r ychydig a weithiai ym mhwll glo Abergorci, oedd wedi ei gythruddo. Mae'n rhaid ei fod wedi cyffredinoli wrth drin y Saeson gan i Mrs Slade ddweud, "Now, come on, Mr Evans. There are some good Englishmen." Ystyriodd Tad-cu ei barn am ychydig cyn dweud, "I suppose you are right, Mrs Slade, but very some!"

★ ★ ★

Cafodd yr efaciwîs groeso yng Nghwm Rhondda fel mewn llawer ardal arall yng Nghymru ac un o'r rhai oedd yn barod iawn i'w lletya yn Nhreorci oedd Mrs Lewis Fech a drigai yn y Stryd Fawr. Er bod ganddi lond tŷ o blant ei hun, cytunodd i roi cartref dros dro i ddau grwt o ganol Llundain – dau Gocni go iawn. Am ryw reswm, amser gwely y noson gyntaf, dyma'r plant yn dechrau ymladd â'i gilydd ar y llofft ac un o'r Saeson yn gweiddi, "Mrs Lewis! Mrs Lewis! You gorra get this so'ted! They're fahiting!" A gwraig y tŷ, oedd yn cael cryn drafferth i'w ddeall, yn dweud, "Stop it at once. I don't allow any farting in my house!"

★ ★ ★

Daeth nifer o Eidalwyr i sefydlu caffis yn y Rhondda ddechrau'r ganrif ddiwethaf. Bracchi oedd enw'r teulu cyntaf i sefydlu busnes o'r fath yn Nhonypandy ac fel siopau *bracchi* mae'r caffis hyn yn cael eu hadnabod yn yr ardal hyd heddiw. Roedd un teulu oedd wedi ymsefydlu ym mhen uchaf y Rhondda Fawr yn disgwyl ychwanegiad i'r teulu. O'r diwedd cyrhaeddodd y babi a'r gwragedd lleol am gael ei hanes. Dyma ddwy neu dair yn mynd i'r siop un bore, ac un yn holi'r fam beth oedd enw'r crwt. "Carlo," meddai â balchder yn ei llais. Cyn iddi fedru ymatal dyma'r un oedd yn holi'n dweud, "Enw ci, myn yffarn i!"

★　★　★

Un arall oedd yn halen y ddaear ond yn blaen ei thafod oedd Anti Nan. Pan fu farw ei chwaer-yng-nghyfraith yn ifanc, dyma hi'n cymryd ei brawd a'i ddau blentyn i'w gofal ac yn rhoi cartref iddynt. Tŷ bach teras oedd ganddi a chyda thri o oedolion a phedwar o blant âi pethau'n gyfyng iawn arnynt ar brydiau. Un bore, roedd pawb yn paratoi i fynd ar drip ysgol Sul a neb yn gallu ffeindio dim i bob golwg. "Ble mae 'nghrys?" gwaeddai un. "Ble mae 'yn rhuban?" holai un arall. "Ble mae…?" o hyd ac o hyd nes bod Anti Nan wedi cael llond bol.

"Dewch 'ma," gorchmynnodd a'u casglu ynghyd yn y gegin. "Dw i wedi cael digon o'r 'Ble ma' 'ma. O hyn ymlân, pawb i biso trwy ei goc ei hunan!"

★   ★   ★

Pan chwaraeodd Caerdydd yn erbyn Arsenal yn rownd derfynol Cwpan Lloegr yn 1927, penderfynodd Ianto y gaffer-halier drefnu trip i Lundain ar gyfer ei ffrindiau. Sicrhaodd westy ar eu cyfer, ac wedi buddugoliaeth y tîm o Gymru arweiniodd Ianto'r criw nôl i'w gwesty i ddathlu yn y ffordd briodol. Gan ei fod yn gymaint o geffyl bla'n cymerodd perchen y gwesty ei fod yn ŵr o bwys ac oherwydd hynny estynnodd iddo'r llyfr ymwelwyr er mwyn iddo dorri ei enw ynddo. Petrusodd Ianto am ychydig pan welodd enwau llu o bwysigion â rhesi o lythrennau yn eu dilyn ond o'r diwedd dyma fe'n rhoi ei enw i lawr – Evan John Griffiths M.A. (Horses).

Pan welodd John Morris y ffeiarman hyn, dechreuodd chwerthin yn uchel nes peri i Ianto droi ato a gofyn, "Am beth wyt ti'n 'werthin, y mwnci cythrel?"

"Ffili deall ydw i o ble ceso ti'r M.A. (Horses) 'ma."

"Edrycha di yma," meddai Ianto gan agor y llyfr o flaen y cwmni a dangos y gair 'Oxon'. "Da a theirw yw Oxon sy'n ca'l eu iwso ar y ffermydd mawr lawr ffor' hyn i droi'r tir, ac ma 'na gaffars gyta nhw. Weli di hwn? Dyma John Hamilton M.A. (Oxon) – John Hamilton, Mishtir Aliars (Oxon) wrth gwrs, a dyma finna, E. J. Griffiths, Mishtir Aliars (Horses)!"

★　★　★

Mae diffyg gafael ar iaith yn gallu arwain ambell un i drybini. Roedd prifathro un ysgol yn yr ardal yn gwneud ymdrech i siarad Cymraeg bob blwyddyn yng nghinio Gŵyl Ddewi'r staff a'r rhieni. Y flwyddyn arbennig hon, roedd y bwyd yn eithriadol o dda a, chwarae teg iddo, roedd e am roi clod i'r merched oedd wedi bod yn ymlafnio o'r golwg yn y gegin yn paratoi'r lluniaeth. Felly, dyma fe'n eu galw i mewn i neuadd yr ysgol i dderbyn cymeradwyaeth, gan ddweud wrth y gwesteion, "Rhowch gymeradwyaeth i'r gwragedd diolwg sydd wedi bod wrthi'n paratoi'r wledd yma ar ein cyfer!"

★　★　★

Fel trigolion llawer man arall yng Nghymru, mae gwŷr Cwm Rhondda yn dwli mynd ar drip rygbi ac mae'r daith i Ddulyn ymhlith eu ffefrynnau. Roedd Dai wedi clywed bod tafarn Buswells yng nghanol y ddinas yn lle braf iawn i aros ac felly dyma fe'n ffonio i holi am eu telerau. "Pa fath o stafelloedd sy 'da chi?" oedd ei gwestiwn cyntaf.

"Wel, syr," atebodd y ferch, "mae pob stafell yn *en suite*. Mae gynnon ni rai â chawod a rhai â bath."

"Beth yw'r gwahaniaeth?" holodd Dai.

"Wel, syr, ry'ch chi'n gorwedd yn y bath ac yn sefyll yn y gawod!"

Daethon nhw i gytundeb o'r diwedd ac yno arhosodd Dai a'i ffrindiau. Cyn y gêm penderfynon nhw gael brechdanau gyda'u cwrw. Roedden nhw i gyd wedi ffansïo'r brechdanau salad, ham a chaws, ond yn anffodus roedd pob un ddim ishe un peth neu'r llall yn eu brechdan. Dyma Dai'n mynd at y bar ac yn dweud, "Dw i ishe un frechdan salad, ham a chaws heb winwns, un heb gaws, un heb ham ac un heb domato." Erbyn hyn roedd y gweinydd yn dechrau drysu ac fe drodd e at Dai a dweud, "A dwi'n cymryd y byddwch chi am gael eich brechdan chi heb y bara!"

Wrth fynd i weld rhai o olygfeydd y ddinas dyma nhw'n stopio gŵr i holi'r ffordd rwyddaf i gyrraedd Coleg y Drindod. "Ydych chi'n bwriadu cerdded neu fynd mewn car?" holodd y Gwyddel. "Mewn car," atebodd Dai. "Da iawn," dywedodd Paddy, "dyna'r ffordd rwyddaf o lawer."

★　★　★

Tom Breeze neu Breezy Ben, fel y cyfeiriai'r plant ato, oedd un o'r athrawon oedd yn gyfrifol am ddosbarth y 'scholarship' yn Ysgol Treorci am flynyddoedd lawer. Hen lanc hynod o gydwybodol oedd Tom oedd yn falch iawn o lwyddiant ei ddisgyblion yn yr arholiad tyngedfennol hwnnw. Ond gallai fod yn ddiamynedd a phrin ei dymer ar adegau pan ddeuai wyneb yn wyneb â thwpdra oedd yn annerbyniol yn ei farn ef. Un diwrnod, roedd yn trio cael Roy Trembath i ddeall nad oedd yn bosib tynnu i ffwrdd unrhyw swm o arian o ddim byd. Pan ofynnodd i Roy ddod at y bwrdd du i ddatrys y broblem 'Dim tynnu i ffwrdd dimai', yr ateb a gâi bob cynnig gan y bachgen oedd "Dimai!" Ceisiodd, o'r diwedd, ddangos iddo ei gamsyniad mewn dull graffig. Aeth i'w boced a rhoi dimai yn ei law dde oedd eisoes yn dal y sialc a ddefnyddiai i sgrifennu ar y bwrdd du. "Nawr, Roy," dywedodd, "os ydw i'n tynnu'r

ddimai yma i ffwrdd, beth sydd ar ôl?" "Darn o
sialc, syr," meddai'r crwt yn ddibetrus – a derbyn
bonclust gan yr athro!

★ ★ ★

Roedd Dr John Jones yn anesthetydd ymgynghorol uchel ei barch yn Ysbyty Dwyrain Morgannwg ac yn ddiacon selog yng nghapel Hermon, Treorci. Gŵr duwiol oedd y meddyg a weithredai hefyd fel pregethwr lleyg yn achlysurol. Ymhlith ei gyd-ddiaconiaid roedd Myall Jones, un o weithwyr Cyngor Bwrdeistref y Rhondda. Un diwrnod, roedd Myall yn un o grŵp o ddynion yn gweithio ar ffordd Mynydd Rhigos pan wibiodd car heibio gan ganu ei gorn. "Pwy oedd hwnna?" gofynnodd Myall a chael yr ateb, "Yr *atheist* 'na sy 'da chi yn Hermon!"

AMBELL WIL
AC AMBELL WAG

Siôn Gwaunadda oedd postmon cyntaf Rhondda
Fawr cyn i ddiwydiant weddnewid y cwm. Fferm
yn y Dinas, ar waelod y cwm, oedd Gwaunadda
ac roedd Siôn yn gyfrifol am ddosbarthu llythyron
i'r bythynnod a'r ffermydd anghysbell bob cam i
fyny'r dyffryn mor bell â Blaenrhondda. Roedd
Siôn yn adnabyddus am ei dafod ffraeth ac
arhosodd rhai hanesion amdano ar lafar gwlad hyd
y dydd heddiw. Ddechrau'r bedwaredd ganrif ar
bymtheg, mae'n debyg nad oedd gan offeiriad
plwyf Ystradyfodwg enw da iawn am ei fod yn
esgeulus iawn o'i ddyletswyddau eglwysig. Yn
wir, roedd e'n treulio mwy o amser yn gofalu am
ei anifeiliaid nag am eneidiau ei blwyfolion. Un
diwrnod, wrth gario'r post, digwyddodd Siôn fynd
heibio i eglwys y plwyf yn Nhon Pentre a gweld
bod yr offeiriad wedi dechrau cadw ffowls yn y
fynwent. Gyda hyn, dyma'r ficer yn ymddangos a
dechrau bwydo'r ieir swnllyd trwy wasgaru grawn
o fasged oedd ganddo. Roedd hyn yn ormod i
Siôn a dyma fe'n dweud wrth yr offeiriad ei fod

yn synnu ei weld yn cadw ieir ar dir cysegredig. "Wel, mae hi fel hyn," mynte'r ficer, "erbyn hyn mae'r ffowls yn talu'n well o lawer imi nag yw'r eglwys." "Dw i'n synnu dim," atebodd Siôn. "Rwyt ti'n rhoi gwell bwyd o lawer iddyn nhw nag i dy blwyfolion!"

★ ★ ★

Un arall fyddai'n dod ar ei hynt i'r Rhondda oedd yr enwog Dr Price, Llantrisant, dyn galluog na allai oddef ffyliaid. Unwaith, daeth rhyw bwdryn ato yn honni na allai weithio oherwydd ei afiechydon lu. Gwyddai'r doctor nad oedd fawr ddim yn bod ar y dyn ond gofynnodd beth oedd yn ei flino. "Mae fy nghof ar chwâl," atebodd y dyn, "ac ar ben hynny dw i wedi colli'r gallu i flasu unrhyw beth." "Arhosa yma funud," dywedodd y doctor, "mae gen i'r union beth ar dy gyfer." Aeth y meddyg ma's i'r stryd, codi darn o faw ci a'i rowlio'n belen. Aeth yn ôl at y dyn oedd yn aros amdano a dweud, "Agora dy geg a chymer hwn." Cyn gynted ag y rhoiodd y doctor y belen yng ngheg y dyn, fe'i poerodd hi ma's gan ddweud, "Cachu ci!" "Dyna ti," ebe Price, "rwyt ti'n gallu blasu'n iawn nawr ac fe gofi di hwnna am sbel!"

★ ★ ★

Cyn-aelod o'r Blaid Gomiwnyddol a drodd at
Blaid Cymru adeg ymgyrch isetholiad Gorllewin
Rhondda yn 1967 oedd Bill Bowen, un o
gymeriadau lliwgar yr ardal yn ystod y cyfnod
diweddar. Tafarnwr y Crown yn Ynys-wen
ydoedd wrth ei alwedigaeth, er nad oedd fawr
o lewyrch ar y busnes. Cadw colomennod oedd
prif ddiddordeb Bill a phenderfynodd y byddai'n
gwneud mwy o sens troi lolfa'r dafarn yn stordy
bwyd adar na'i chadw at wasanaeth ei gwsmeriaid.
Fel gwir gomiwnydd, bob nos Wener gadawai far
y Crown yn agored tra yr âi ef a'i wraig i ddawns
yng Nghlwb y Ceidwadwyr, o bobman, gan
ymddiried yn ei gwsmeriaid i roi arian yn y til am
yr hyn a yfent yn ei absenoldeb! Roedd gan Bill
ddawn areithio anarferol a chafwyd sawl cyfraniad
cofiadwy ganddo adeg yr isetholiad. Beth bynnag,
ychydig yn ddiweddarach, bu farw ei ewyrth, Wil
Watkins, dyn a oedd yn adnabyddus yn yr ardal
fel consuriwr a fu wrthi'n difyrru cynulleidfaoedd
mewn clybiau a festrïoedd capeli dros gyfnod hir.
Doedd Wil ddim yn grediniwr a phenderfynwyd
cael angladd seciwlar, gyda Bill yn talu teyrnged i'r
ymadawedig. Yn yr amlosgfa, amlinellodd yrfa ei
ewyrth yn ei ddull hwyliog arferol ac yna daeth yn

amser i wasgu'r botwm. Wrth i'r arch araf ddisgyn o'r golwg, gorffennodd Bill ei berorasiwn trwy ddweud, "Dyw hen gonsurwyr byth yn marw – jyst yn diflannu!"

★ ★ ★

Cymeriad lliwgar arall yn yr ardal oedd W. J. Howells M.Sc., prifathro yr ysgol fechgyn enwog yn y Porth lle rown i'n ddisgybl ac yn athro. Y rhan fwyaf o'r amser roedd pen y prifathro yn y cymylau a dibynnai'n llwyr ar ei staff galluog a'i ysgrifenyddes i redeg yr ysgol. Prin y gwyddai ar brydiau beth oedd yn digwydd yn ei ysgol, ond nid ymddangosai fod hynny yn ei flino o gwbl.

Er gwaethaf ei holl ragoriaethau fel sefydliad academaidd, doedd dim lle i gerddoriaeth ar gwricwlwm yr ysgol, ond unwaith y flwyddyn deuai triawd offerynnol Coleg y Brifysgol, Caerdydd ar ei hynt i'n difyrru. Roedd y sesiynau hyn yn fwrn i'r rhan fwyaf o'r bechgyn a'r unig beth oedd yn lliniaru'r boen am ychydig oedd syllu ar Miss George a chwaraeai'r soddgrwth. Patrick Piggot oedd wrth y piano, rhyw wraig na chymerem fawr o ddiddordeb ynddi ganai'r ffidil, ond Miss George oedd y prif atyniad i fynychwyr ysgol i fechgyn yn unig! Ond er cymaint ei doniau

corfforol a cherddorol, methu a wnâi hithau
â chynnal diddordeb ei chynulleidfa yn y pen
draw. Un tro, ar un o'r ymweliadau hyn, wedi i
gyfaredd Miss George gadw'r bechgyn yn dawel
am ryw chwarter awr, dechreuodd rhai siarad
gan darfu ar y perfformiad. Ar ddiwedd yr eitem,
cododd y prifathro a'n rhybuddio y byddai e'n
ein cosbi tasai rhagor o sŵn. Er gwaethaf ei ble,
digwyddodd yr un peth eto yn ystod yr ail ddarn.
Y tro hwn, cododd a'n rhybuddio'n chwyrn y
caem ein haeddiant oni bai bod ein hymarweddiad
yn gwella. Roedd hi'n amlwg nad oedd neb yn ei
gymryd o ddifri gan i'r un cynnwrf ddigwydd yn
ystod y trydydd darn. Ffromodd Howells, ac â'i
wyneb yn troi'n biws dyma fe'n dweud, "Dw i
wedi bod yn deg iawn. Dw i wedi eich rhybuddio
dair gwaith y byddwn yn eich cosbi a nawr dw i'n
mynd i wneud hynny. Miss George, chwaraewch
y darn eto!"

★   ★   ★

Cododd enghraifft arall o ddiffyg amgyffred Mr
Howells o'r hyn oedd yn digwydd o'i gwmpas
mewn cyngerdd ar Ddydd Gŵyl Dewi. Er bod
llawer o'r staff, gan gynnwys y prifathro, a rhai o'r
disgyblion yn siarad Cymraeg, math o 'go-as-you-

please' dwyieithog a gaem ar fore'r Ŵyl cyn cael y prynhawn yn rhydd. Rhoddwyd tragwyddol heol i unrhyw un wneud unrhyw beth fyddai'n difyrru'r gynulleidfa am awr neu ddwy ac o ganlyniad ceid amrywiaeth o adloniant yn cynnwys cantorion, adroddwyr, corau, consurwyr, chwibanwyr ac offerynwyr. Un flwyddyn, gofynnodd bachgen o Donypandy a gâi ddod â'i ddol i anrhydeddu'r sant am ei fod yn gallu taflu ei lais. Caniatawyd ei gais a phan ddaeth ei dro, eisteddodd ar un ochr y llwyfan isel gan roi'r ddol, a edrychai yn arbennig o realistig yn ei gwisg ysgol, i eistedd ar gadair y pen arall. Roedd newydd-deb act o'r fath wrth fodd y bechgyn a'r taflwr llais, o ganlyniad, yn dechrau cael hwyl arni. Pan sylwodd fod Mr Howells, a eisteddai yng nghanol y rhes flaen, wedi dechrau hepian, dechreuodd adrodd cwpl o straeon eithaf coch er mawr ddifyrrwch i'w gynulleidfa. Yn anffodus, deffrôdd y chwerthin aflafar y prifathro. Dyma fe'n neidio i'w draed ac yn rhedeg at y llwyfan gan ddweud, "Dyna ddigon o'r budreddi 'na!" – a rhoi bonclust i'r ddol!

* * *

Gŵr busnes adnabyddus iawn yn nhre Treorci oedd Mr Hick a werthai bysgod, llysiau a ffrwythau

yn ei siop yn ymyl Sgwâr y Stag. Cydymffurfiai
Mr Hick yn berffaith â'r darlun o'r Sais ystrydebol.
Gwisgai het wellt bob amser, ynghyd â dici-bô
a rhosyn coch ar labed ei got waith. Roedd yn
ddiarhebol o gwrtais fel arfer ond yn gallu dweud
y pethau mwyaf carlamus dro arall. Un bore pan
oedd Mam yn y siop yn aros ei thro, roedd gwraig
fawr, dew ar fin talu'r siopwr am ei neges. Yn
anffodus, cwympodd ei phwrs i'r llawr ac wrth
blygu i'w godi fe gnecodd yn uchel iawn yn wyneb
Mr Hick. Ymddiheurodd yn llaes iawn iddo gan
ddifaru bod y fath beth wedi digwydd. Gwenodd
y siopwr arni a dweud, "Peidiwch â becso dim,
cariad. Pan ddyweda i bris y pysgod 'ma wrthych
chi, fe gachwch chi!"

★ ★ ★

Roedd dau gymeriad hynod yn yr ardal, Wil
Dwl a Beni Baish. Mae'n debyg bod brawd
Wil yn athro coleg ond yn ôl rhai roedd Wil ei
hun wedi mynd i mewn 'da'r bara a ma's 'da'r
byns. Serch hynny, roedd pawb yn yr ardal yn
ei anwylo ac yn meddwl y byd ohono. Un a
oedd yn arbennig o garedig wrtho oedd Mr
W. P. Thomas, cynghorydd lleol, rheolwr
Cwmni'r Ocean a ffrind i Lloyd George. Hoffai

Wil eistedd ar fainc yn ymyl neuadd gweithwyr y Parc a'r Dâr a chyfarch gweithwyr yr Ocean wrth iddyn nhw fynd i'w swyddfa fawr yr ochr draw i bont y rheilffordd. Er na fedrai Wil ddarllen, teimlai'n falch bod W. P. Thomas, un o bobl bwysica'r dre, ambell waith yn estyn iddo gopi o'r *Western Mail* i'w 'ddarllen' dros yr awr ginio. Wedyn, ar y ffordd nôl i'r gwaith byddai'r rheolwr yn holi Wil am newyddion y dydd.

"Beth sy yn y *Mail* heddi, Wil?" gofynnodd un bore adeg y rhyfel.

"Newyddion drwg, rwy'n ofni," oedd yr ateb. "Llong arall wedi mynd i lawr, Mr Thomas. Mae ei llun hi yn y papur."

Meddyliai W. P. Thomas ei bod yn rhyfedd na chlywsai am y digwyddiad ofnadwy hwn – ac yna sylwodd fod Wil yn dal y *Western Mail* wyneb i waered!

Dro arall dyma W. P. Thomas yn holi Wil am hynt y rhyfel.

"Shwd wyt ti'n meddwl bod y rhyfel yn mynd, Wil?" gofynnodd.

"Ry'n ni'n siŵr o ennill, Mr Thomas," oedd yr ateb pendant.

"Pam wyt ti mor sicir?"

"Wel, dw i'n sylwi arnoch chi i gyd yn mynd

i Noddfa dair gwaith ar y Sul a sawl gwaith yn ystod yr wythnos, a phob tro ry'ch chi'n gweddïo ar Dduw i'n helpu. Ac nid yn Noddfa yn unig. Mae'r un peth yn digwydd yn Ainon, Gosen, Bethlehem, Calfaria a Hermon – pob un ohonyn nhw'n erfyn ar Dduw am help. Ac mae e'n siŵr o wrando."

"Ond, Wil, mae 'na gannoedd o eglwysi'n gwneud yr un fath draw yn Germani. Maen nhw'n gweddïo'n gyson hefyd…"

"Peidiwch â becso dim am hynny. Pwy yffach fydd yn eu deall nhw?"

★ ★ ★

Shoni Hoes yw'r term cyffredin yng Nghwm Rhondda am bwdrod a segurwyr, ac roedd rhai i'w cael yma fel ym mhob ardal arall. Mae'n debyg bod un o'r rhain wedi bod yn dipyn o fwrn ar Dr Fergus Armstrong, Sgotyn a fagwyd yn Llanfair Talhaearn, Sir Ddinbych a ddaeth i'r cwm gyda'i frawd i fod yn feddygon pwll glo. Dyn tal, swrth oedd Dr Fergus, meddyg galluog a chyn-filwr – yn sicr ddim yn un i dynnu'n groes iddo. Un bore daeth Dai i'w syrjyri i mofyn papur i'w esgusodi rhag mynd i'r gwaith. Gwyddai'r meddyg yn iawn ei fod yn berffaith abl i weithio a gwrthododd arwyddo unrhyw nodyn. Styfnigodd Dai hefyd a chyhoeddi na fyddai'n symud o'r fan a'r lle heblaw iddo gael nodyn. Gan fod nifer yn aros i'w weld, dyma Armstrong yn taro rhywbeth ar ddarn o bapur, ei roi mewn amlen a'i estyn i Dai er mwyn cael ei wared.

Teimlai'r diogyn yn eithaf balch o'i lwyddiant ac aeth yn syth o'r syrjyri draw i swyddfa'r Ocean. Estynnodd yr amlen i'r clerc ac aros am ymateb.

"Does dim byd o gwbl ar y papur 'ma – dim ond strôc."

"Wel, nac oes, siŵr, achos dyna beth sy'n bod arna i, ddyn."

★　★　★

Dau gymeriad adnabyddus a lliwgar iawn yn yr ardal oedd dwy chwaer, Frances a Getta Morris. Dwy wraig fawr, drwsgl yr olwg ond a oedd yn barod iawn eu cymwynas. Byddai Tom Freeman, y trefnydd angladdau lleol, bob amser yn gofyn iddynt droi cyrff ar ei ran a phan welech y ddwy yn cerdded drwy'r stryd yn eu gwisgoedd du, yn edrych fel 'dou blac-pat' yn ôl un sylwebydd, gwyddech yn iawn beth oedd natur eu neges. Yn gynnar iawn un bore, pan oedd y ddwy yn prysur baratoi i fynd i ddal y trên ar gyfer gwibdaith dosbarth gwnïo'r capel i Weston-super-Mare, clywon nhw rywun yn curo'n galed ar eu drws ffrynt. Agorodd Frances ffenest ar y llofft i weld pwy oedd yno mor gynnar a synnodd weld Miss W., merch gŵr oedd wedi marw'r diwrnod cynt. Pan welodd hi Frances dyma hi'n gofyn, "Wnewch chi ddod lan i'r tŷ ar unwaith, mae problem 'da Mam."

"Beth sy'n bod arni?" gofynnodd Frances.

"Dyw hi ddim yn gallu byta ac mae hi eisiau eich gweld chi ar unwaith."

"Does dim rhyfedd nad oes chwant bwyd arni a hithau wedi colli eich tad ddoe. Beth bynnag, byddai'n well iddi alw doctor ar gyfer rhywbeth fel 'na. Alla i mo'i helpu."

"Gallwch wir," oedd yr ateb, "dim ond *chi* all ei helpu."

"Beth yn y byd y'ch chi'n feddwl, ferch?"

"Wel, yn anffodus, ry'ch chi wedi rhoi dannedd dodi Mam yng ngheg Dad!"

* * *

Yn Fferm y Fforch, Treorci roedd Brynfab (Thomas Williams, 1848–1927) yn byw. Roedd yn ffermwr a gyfrannai golofn farddol ddylanwadol i *Tarian y Gweithiwr*. Roedd yn un o'r enwog Glic y Bont ac fel nifer o blith y frawdoliaeth honno carai gystadlu mewn eisteddfodau. Cystadleuaeth boblogaidd yn eisteddfodau dechrau'r ganrif ddiwethaf oedd ysgrifennu marwnadau i aelodau amlwg yn y gymdeithas oedd wedi marw yn ystod y flwyddyn. Er mwyn rhoi ychydig o gefndir yr ymadawedig byddai ysgrifennydd yr eisteddfod yn anfon crynodeb o'i hanes. Mewn eisteddfod a gynhaliwyd ym Melin Ifan Ddu yng Nghwm Ogwr, roedd tri gŵr o'r ardal wedi marw yn ystod y flwyddyn ac roedd modd dewis rhyngddynt. Anfonodd Brynfab am fanylion dau ohonynt a chael cymaint o hwyl yn ysgrifennu teyrngedau iddynt nes iddo benderfynu rhoi cynnig ar y trydydd yn ogystal. Wedi'r cyfan, roedd tair gwobr o 5 gini, 3 gini a 2 gini. Yn anffodus, gan fod dyddiad cau'r eisteddfod yn nesáu, doedd dim amser i anfon am y manylion angenrheidiol. Er gwaethaf hynny, penderfynodd Brynfab roi cynnig arni. Ar ddiwrnod yr eisteddfod roedd e uwchben ei ddigon yn gwrando ar y beirniad yn cyhoeddi taw fe oedd wedi cipio'r wobr gyntaf a'r ail. Roedd y beirniad wedi bod mewn tipyn o gyfyng-gyngor ynglŷn â'r drydedd wobr, ond pan gyhoeddodd fod 'Cadwgan' yn deilwng, sylweddolodd Brynfab ei fod wedi cipio honno hefyd. Fodd bynnag, pan aeth i dderbyn ei wobrau, dyma'r beirniad yn cael gair ag e gan ganmol y cerddi a ddaeth yn gyntaf ac yn ail, ond yn ei rybuddio rhag cyhoeddi'r drydedd.

"Pam na ddylwn i?" holodd Brynfab.

"Wel," atebodd y beirniad, "ar ddiwedd y gerdd ry'ch chi'n sôn am yr olygfa ar lan y bedd ac yn disgrifio'r plant yn llefain ar ôl eu tad."

"Do, beth sy'n bod ar hynny?" gofynnodd y bardd.

"O'ch chi ddim yn gwybod ei fod e'n hen lanc?"

★ ★ ★

Dau gymydog, dau ffrind a dau wahanol iawn i'w gilydd oedd Vic a Bill. Roedd y ddau'n dal, ond tra bod Bill fel weiren gaws o denau, pwysai Vic dros ugain stôn. Un hael iawn â'i arian oedd Vic tra bod ei gyfaill yn eithaf tyn. Roedd y ddau'n wahanol iawn hefyd yn eu hagwedd at eu tai. Cywiro a glanhau yn ôl rhaid fyddai Vic tra bod unrhyw annibendod yn dân ar groen Bill. Byddai e byth a beunydd yn trwsio, yn peintio ac yn glanhau. Sgubai'r pafin o flaen ei dŷ bob dydd a byddai hyd yn oed yn brwsio wal yr ardd pe gwelai we corryn arni!

Un diwrnod o eira trwm, gwelodd Vic Bill o flaen y tŷ yn sgubo'r eira i ffwrdd wrth iddo ddisgyn. Cyn bo hir, roedd y stryd yn wyn, ar wahân i'r darn o flaen cartref Bill. Roedd hyn yn ormod i Vic. Dyma fe'n codi'r ffôn ac yn ei Saesneg mwyaf awdurdodol yn dweud, "Cyngor Bwrdeistref y Rhondda'n siarad. Ry'n ni wedi derbyn cwyn eich bod wedi symud yr eira o flaen eich tŷ."

"Ydw, a beth sydd o'i le ar hynny?"

"Ydych chi'n sylweddoli taw chi fydd yn gyfrifol os caiff unrhyw un ddamwain ac y gallech chi gael eich cosbi cymaint ag £20,000? Oes trefniant yswiriant gennych?"

"Nac oes, wir. Beth yn y byd alla i wneud?"

"Fy nghyngor i chi," medde Vic, "yw rhoi'r

eira yn ôl ar y pafin ar unwaith." Gollyngodd y ffôn, cododd ei lasaid o wisgi, ac o gysur ei rŵm ffrynt mwynhau'r olygfa o Bill yn rhofio'r eira!

★ ★ ★

Dau löwr crwydrol na fynnai aros yn hir mewn unrhyw le oedd Isaac Lewis a Sam Fain. Isaac oedd yr arweinydd a Sam yn dal ei freichiau ym mhob helynt. Deuent yn eu tro i ardal Treorci ac mae llu o storïau wedi eu cofnodi am eu campau. Unwaith aeth Isaac at Daniel Eynon, rheolwr pwll y Parc, i chwilio am waith. "Siawns am job, bos?" gofynnodd.

"O's, Isaac, ma job i ti. Ma 'da fi dalcen da – lle i ennill lot o arian. Yr unig fai sy yw bod top go ddrwg yna."

"Ga i weld e, bos?"

"Isaac, off â ti iddi weld."

Ymhen ychydig, dyma Isaac yn dod nôl yn wên o glust i glust ac yn dweud, "Rwy wedi ffindo ffordd *first class* i gadw'r top lan, bos."

"Beth yw'r cynllun sy 'da ti, Isaac?" gofynnodd Daniel Eynon yn llawn chwilfrydedd.

"Gatal y glo yn y fana, bos. So long, dyma fi'n mynd!"

★ ★ ★

Un noson, yn hanner meddw, dyma Isaac yn penderfynu mynd i gysgu mewn twlc mochyn ar waelod gardd gefn tŷ oedd yn ymyl. Trodd y mochyn ma's, mynd i orwedd yn ei le a chysgu'n sownd tan y bore. Fe'i dihunwyd gan lais gwraig y tŷ yn galw "Biwco! Biwco!" wrth ddod â bwyd i'r mochyn.

"Dim stumog y bore 'ma," meddai Isaac o wâl y mochyn. Dychrynodd y wraig druan a bu bron iddi lewygu. Galwodd ar ei gŵr i weld beth oedd yno, ond cyn iddo gyrraedd roedd Isaac wedi rhoi ei dra'd yn y tir.

★ ★ ★

Peth cyffredin yn y Cymoedd 'slawer dydd oedd gweld gwahanol fasnachwyr yn mynd â'u nwyddau i'w gwerthu o gwmpas y strydoedd ar gart. Un tro, daeth Isaac ar draws dyn â chart ac asyn oedd yn gwerthu llestri o bob math. Yn anffodus, roedd yr asyn wedi troi'n styfnig ac yn gwrthod symud.

"Ga i drio?" gofynnodd Isaac.

"Cei," medde'r gyrrwr oedd wedi cael digon.

Dyma Isaac yn mynd at yr asyn ac yn dweud

rhywbeth yn ei glust. Ar unwaith, dyma'r asyn yn neidio ac yn cicio nes i'r cart 'mhoelyd a'r llestri'n yfflon. Roedd y gyrrwr o'i gof a'r diwedd fu i Isaac orfod ymddangos o flaen ei well.

"Beth wnest ti i'r asyn?" gofynnodd yr ynad.

"Dim, syr," meddai Isaac, "ond dweud yn ei glust fod ei ewyrth wedi marw."

Ond y gwir oedd bod Isaac wedi chwythu pilsen i glust yr asyn.

Pan ddelai i'r Rhondda, lodjio y byddai Isaac pan allai fforddio gwneud hynny. Ar un achlysur felly, credai fod gwraig y llety yn lladrata peth o'i fwyd. Un diwrnod prynodd ddau sgadenyn, eu rhoi yn y pantri a mynd am dro. Erbyn iddo ddod nôl, roedd un wedi diflannu. Cymerodd y llall a daliodd e o flaen y tân gan ei wthio yn erbyn y bariau nes oedd yn ei hanner llosgi.

"Isaac, Isaac," meddai gwraig y llety, "ry'ch chi'n llosgi'r *bloater*."

"Ei losgi!" ebe Isaac gan sgyrnygu. "Fe ro i losgi iddo fa. Fe losga i ei fennydd e ma's os na wediff e lle mae ei bartner e wedi mynd."

AR Y BOCS SEBON

Mae gwleidyddiaeth wedi bod yn bwysig erioed
ym mywyd Cwm Rhondda ond er bod pobl
yn tueddu i fod o ddifri wrth wleidydda, dyw
hynny ddim yn golygu eu bod yn ddifrifol bob
amser. Mae sôn am ffotograffydd lleol o Dreorci
yn penderfynu sefyll fel ymgeisydd am sedd ar
Gyngor y Rhondda. Teimlai fod ganddo un
fantais fawr ar yr ymgeiswyr eraill gan taw fe,
ar y pryd, oedd yr unig un yn y dre oedd yn
berchen car. Er mwyn sicrhau'r bleidlais uchaf
posib, addawodd gludo pobl i'r orsaf bleidleisio
ar y dydd mawr. Ac felly y bu. Trwy gydol y
dydd âi'r car bach yn ôl ac ymlaen yn llawn dop
â phleidleiswyr oedd yn awyddus i gael reid yn y
car — profiad hollol newydd a chyffrous i bron
pawb yr adeg honno. Erbyn i'r pleidleisio ddod
i ben teimlai fod ei sedd ar y cyngor yn ddiogel
ac edrychai ymlaen at glywed y canlyniad.
Ond y fath siom·a gafodd pan gyhoeddodd y
swyddog pleidleisio taw ond rhyw ddwsin oedd
wedi bwrw eu pleidlais drosto. Ffromodd, ac
yn ei ddicter dywedodd, "Yffach gols, mae 'da

fi fwy o deulu na 'na!" Afraid dweud na safodd
e eto.

* * *

Yn ystod isetholiad Gorllewin Rhondda yn 1967
aeth canfasiwr i geisio sicrhau cefnogaeth hen
wraig o'r enw Mrs Powell oedd yn byw mewn
stryd yng nghanol tref Treorci. Roedd hi mewn
gwth o oedran ac erbyn hynny braidd yn drwm
ei chlyw. Curodd ar ei drws a phan atebodd
dywedodd ei fod yn galw ar ran y Blaid. "Popeth
yn iawn," dywedodd Mrs Powell, ond cyn iddo
gael cyfle i ddweud rhagor diflannodd nôl i mewn
i'r tŷ. Pan ddychwelodd, dyma hi'n estyn hanner
coron i'r bachgen wrth y drws. "Dw i ddim eisiau
arian," esboniodd. "Dw i ond yn canfasio ar ran
y Blaid." "Wel, mae rhaid ichi ei gymryd e achos
dw i bob amser yn cefnogi'r 'Blind'," plediodd yr
hen wraig. Tybed oedd hi'n fyddar neu yn ceisio
dweud rhywbeth?

* * *

Un o'r ymgyrchwyr gorau a mwyaf tanllyd yn y
Rhondda yn ystod ail hanner yr ugeinfed ganrif

oedd y diweddar Gynghorydd Glyn James, y cenedlaetholwr oedd wrth ei fodd yn taranu ar y corn siarad. Yn ystod y pumdegau roedd ganddo un araith liwgar, wladgarol a ddefnyddiai bron yn ddieithriad nes bod pawb, yn enwedig plant, yn gallu dyfynnu ohoni'n helaeth. Yng nghorff yr araith pwysleisiai nad oedd y Cymry'n waeth nag unrhyw genedl arall a'n bod yn meddu ar hen, hen hanes a diwylliant. Un o'i frawddegau trawiadol oedd, "We are not a bunch of unwashed Hottentots" – brawddeg, gyda llaw, na fyddai gwleidyddion heddiw yn meiddio ei defnyddio!

Beth bynnag, un noson ar Sgwâr y Stag roedd Glyn wrthi yn ei hwyliau a thwr o blant wedi crynhoi o gwmpas fan y corn siarad. Yn anffodus, ac yntau'n cyrraedd uchafbwynt ei araith, methodd y trydan ar ganol y frawddeg, "We are not..." Ond doedd dim rhaid iddo fecso o gwbl oherwydd fel corws mewn drama Roegaidd dyma'r plant i gyd yn gorffen y frawddeg, "... a bunch of unwashed Hottentots."

★ ★ ★

Leo Abse, aelod seneddol Pont-y-pŵl, oedd un o wleidyddion mwyaf diddorol yr ugeinfed ganrif. Roedd yn areithiwr penigamp, yn gwisgo'n lliwgar bob amser ac yn aelod gweithgar iawn yn Nhŷ'r Cyffredin yn hyrwyddo pob math o ddiwygiadau cymdeithasol. Unwaith, daeth i ymgyrchu yng Nghwm Rhondda a chael ei hun yn annerch cyfarfod yn un o'r clybiau Llafur niferus. Cadeirydd y clwb oedd gŵr o'r enw Emrys Jones oedd ddim yn gyfarwydd â Leo Absc ac yn ansicr iawn sut i ynganu ei enw. Wrth ei gyflwyno i'r gynulleidfa, dyma fe'n dechrau, "Mae'n bleser gen i gyflwyno ein siaradwr gwadd, Leo Abs. Mae Mr Abs yn aelod seneddol dros Bont-y-pŵl…" Ar hyn, dyma Leo Absc yn rhoi pwt iddo yn ei gefn a sibrwd, "Galwch fi yn Abse." "Glywoch chi hynny?" dywedodd y cadeirydd. "Mae e am i fi ei alw'n Abse. Dyna beth braf, gŵr mor bwysig ac eto mor agos atom. Wel, fe alwa i chi'n Abse ac fe allwch chi fy ngalw i'n Jonesy!"

BRÂN A MWNCI

Bedyddiwr selog oedd y tribannwr Tomos Hywel Llywelyn (1848–1927). Saer ydoedd wrth ei grefft, ac ef fu'n gyfrifol am yr holl waith coed yng nghapel Libanus, Treherbert gynt. Gadawodd lu o dribannau ac ambell gerdd ddigri, fel hon sy'n sôn am ei frawd, Morgan, yn cael ei fedyddio yn afon Rhondda.

> Fe fedyddiwyd tri ar ddeg
> o ddynion teg yr olwg,
> rhai yn fawr a rhai yn fân
> yn Ystrad lân Dyfodwg;
> Fe fedyddiwyd Moc fy mrawd,
> Fu iddo ef ond crefydd dlawd,
> yn troi lliw'r dŵr wrth ola' dydd
> o'r Ynys-fach i Bontypridd.

★ ★ ★

Un salw ar y naw oedd Wiliam, a phan gyhoeddodd taw ei uchelgais oedd bod yn seren ffilmiau bu'n destun hwyl ymhlith ei gyd-weithwyr ym mhwll y Dâr, cymaint felly nes i un ohonyn nhw sgrifennu'r englyn hwn amdano:

Dy wyneb er daioni – rho mewn sach
    Er mwyn serch dy gwmpni;
    Ma' rhyw ofn ddofn ynddo i
    Mai èncor yw o'r mwnci.

* * *

Roedd Tom Davies hefyd yn gynganeddwr medrus. Dyma englyn Saesneg o'i eiddo a ymddangosodd yn *Y Darian*:

The Ass
So well he'll sing a solo – in the field
    With a full crescendo;
    Rolling in ending, you know,
    A tender rallentando.

* * *

Un doniol iawn oedd Bili Trimmer a gafodd ei lysenw am mai trimio gwagenni oedd ei waith, hynny yw, gwahanu'r slag oddi wrth y glo. Rhigymu a sgrifennu penillion talcen slip oedd diddordeb mawr Bili a phan ofynnai rhywun gwestiwn iddo, tueddai i ateb ar ffurf rhigwm. Er enghraifft, pan ofynnodd rhywun iddo unwaith, "Be sy mater heddi, Bili?", yr ateb a gafodd oedd,

"Weti colli fy rhaw wrth dowli baw,

Ond ffindes hi wetyn wrth gefen cogyn."

Un diwrnod, dywedodd wrth rywun nad oedd yn siarad Cymraeg,

"Mae yna frân ar y Ca' Mawr

Os na a'th hi off, mae yno nawr."

"What's that?" holodd y Sais, ac fel bollt daeth yr ateb,

"On the Big Field there is a crow,

If she hasn't gone away, she's there now."

DAI PEG AC ANNIE BWCI

Roedd llawer o lysenwau doniol a diddorol ar rai pobl yng Nghwm Rhondda. Dyma rai enghreifftiau: Dai Ianc (un a froliai am bopeth); Dai Sand y Môr (a werthai dywod i'w roi ar y llawr cyn dyddiau leino a charpedi); Annie Baswr (contralto â llais dwfn iawn oedd yn godwr canu ym Moriah, Y Pentre); Twm Bara Jam (oedd ond yn cael bara jam yn ei focs bwyd dan ddaear); Sioni Conyn (un a gwynai bob amser); Dan Esther Ann (unig fab a âi i bobman gyda'i fam); Sioni Talu (perchen bacws â'i gwestiwn cyntaf i'w gwsmeriaid, "Wyt ti'n talu?"); Dai Llygad Eglur (gŵr â llygad wydr); Annie Bwci (merch â'i thad yn ddyn hynod o hyll); Harri Bwl (am ei fod mor gryf â tharw); Mrs Morgan Bwl (am ei bod yn dod o Ynys-y-bwl); Dai Peg (gŵr â choes bren); Dai Map of the World (person hollwybodus); Ianto Bob Man (sef Ifan Dafis oedd byth yn aros gartre); Shincyn Cymyla (pan gwynai ei gyd-weithwyr na welent olau dydd byddai'n eu cysuro trwy ddweud, "Ma 'na gymyla mawr ma's 'na heddi"); Twm Crychydd (a chanddo wddwg hir); Dai Glo

DAI PEG

Mên (un a gasglai'r glo mân a adawyd yn y gwlis ar ôl i weithwyr yn y pwll dderbyn llwyth o lo); Sioni Sgrech (dyn swnllyd iawn); Sioni Coesau Bwyall (gŵr a adawyd yn goesgam ar ôl damwain yn y pwll); Dai Pavarotti (tenor sobor o wael); a Dai Deugain Siwt (un a hoffai wisgo'n smart bob amser). Er bod rhai o'r rhain yn enwau dyfeisgar iawn, efallai taw'r llysenwau mwyaf diddorol yw'r rheiny sy'n codi yn sgil rhyw dro trwstan yn hanes y cymeriad dan sylw.

★ ★ ★

Fel yn hanes llawer o drefi a phentrefi, bu rhialtwch mawr yn Nhreorci yn 1945 adeg dathlu'r fuddugoliaeth dros Siapan. Cynhaliwyd parti anferth yn Stryd Dumfries, stryd fwya'r dre, ar nos Sadwrn ganol haf. Bu yno ganu a dawnsio i gyfeiliant recordiau ar hen gramoffôn, a chymaint oedd y mwynhad nes i bawb anghofio am yr amser nes ei bod hi ymhell wedi hanner nos. Ar ben y stryd safai Ramah, capel yr Annibynwyr, a fynychid gan lawer o drigolion y strydoedd cyfagos. Yn sydyn, daeth gwaedd o ffenest oedd wedi ei hagor at ei hanner ac ataliwyd yr hwyl ar unwaith wrth i David Jones ddechrau ymosod yn chwyrn ar bawb yn y stryd. "Odych chi'n sylweddoli ei bod hi'n fore Sul a chithau'n bihafio yn y fath fodd? A dyna lle byddwch chi bore fory yn canu ac yn gweddïo yn Ramah. Y rhagrithwyr shag y'ch chi! Rhagrithwyr pen hewl! And for those of you who don't speak Welsh, I'm telling you – you're a bunch of apricots." Druan â Dai! Fe'i hailfedyddiwyd yn y fan a'r lle ac o'r funud honno hyd ei fedd, Dai Apricots fuodd e i bawb yn yr ardal.

★ ★ ★

Daeth gweinidog newydd i Noddfa, capel y Bedyddwyr, o'r enw Parch. Young Haydn. Roedd e'n nai i'r enwog Jiwbili Young ac yn ystod ei wythnosau cyntaf yn ei ofalaeth newydd, prin y collai gyfle i atgoffa ei gynulleidfa am ei gysylltiad â'r gwron hwnnw. "Fel y dywedai f'ewyrth…" neu "Yn ôl f'ewyrth Jiwbili Young…" oedd hi bob cynnig nes i bawb ddechrau blino ar glywed sŵn yr enw. Yn anffodus i'r nai, roedd cyfres boblogaidd ar y teledu ar y pryd a chyn bo hir cyfeiriai pawb yn y lle at y gweinidog newydd fel 'The Man from U.N.C.L.E.'!

★ ★ ★

Llithriad tafod ar lafar neu ryw dro trwstan fyddai wrth wraidd llawer o lysenwau'r ardal a dyna a ddigwyddodd i un wraig anffodus ar ddydd ei phriodas. Fel yn hanes yr 'hen ferchetan' yn y gân adnabyddus, roedd un wraig o'r Cymoedd bron â thorri ei bola o eisiau priodi. Wrth weld ei ffrindiau o un i un yn cyrraedd yr allor, dechreuodd anobeithio. Ond o'r diwedd profodd wirionedd y dywediad fod 'na frân i frân yn rhywle. Cymaint oedd ei gorfoledd ar y diwrnod mawr nes iddi, wrth ateb cwestiwn y gweinidog, "A wnei di gymryd y mab hwn yn ŵr priod iti?", ddweud â balchder yn ei llais, "Syrtenli!" Wn i ddim beth oedd ei henw iawn, ond beth bynnag ydoedd, doedd mo'i angen arni o'r funud honno ymlaen gan taw Syrtenli oedd hi i bawb yn yr ardal.

★　★　★

Llithriad arall a adawodd ei ôl oedd yr un a wnaeth John Davies neu Dafis Wiwer pan alwyd arno ar fyr rybudd i wneud y cyhoeddiadau yn un o gapeli'r ardal. Tan yn gymharol ddiweddar, fyddai gwragedd byth yn cael mynd i'r fynwent adeg angladd. Y drefn oedd eu bod yn bresennol yn y gwasanaeth ar yr aelwyd ac yn aros yno i baratoi'r lluniaeth erbyn i'w gwŷr ddychwelyd. Dyna oedd i ddigwydd pan fu farw John Jones, ond dyma a gyhoeddodd Dafis druan yn y capel ar y nos Sul flaenorol. "Bydd angladd y diweddar John Jones yn codi o'r tŷ am 1 o'r gloch ddydd Mercher nesaf ac yn cyrraedd Mynwent Gyhoeddus Treorci am 1.20 p.m. Gwiwerod yn unig." Ac o'r funud honno fe aeth John Davies yn Dafis Wiwer!

★ ★ ★

Prynodd ein merch ei thŷ cyntaf mewn stryd gymdogol iawn yng nghanol Treorci. Doedd hi ddim yn hir cyn i rai o drigolion y stryd alw heibio i'w chroesawu, yn eu plith y gŵr gweddw oedd yn byw y drws nesaf iddi, "Beth yw eich enw?" oedd ei gwestiwn cyntaf. "Branwen," atebodd. "Dyna enw rhyfedd. Chlywais i mo'i debyg o'r blaen," dywedodd ei chymydog. "Rwy'n gwybod taw Al Lock mae pobl y stryd yn eich galw chi. Alun, efe?" holodd Branwen. "Nage, wir, f'enw llawn yw Alsace Lorraine Lock!"

MEDDWL YN RHY ARAF

Roedd y Parch. J. M. Lewis, Noddfa a'r Parch. W. E. Anthony, Hermon yn ddau gawr a roddodd flynyddoedd o wasanaeth ffyddlon i drigolion Treorci a'r cylch. Roedd J.M. yn ffraeth iawn ei dafod. Mae'n debyg ei fod yn pregethu yn un o bentrefi'r Rhondda Fach adeg y rhyfel pan dorrodd plismon ar draws y gwasanaeth yn cwyno bod golau i'w weld trwy un o ffenestri'r capel oedd yn torri rheolau'r 'blac-owt'. "Peidiwch â becso, 'machgen i," meddai J.M. wrtho. "Fe ddoda i un o'r diaconiaid 'ma i sefyll yn y ffenest a fydd neb yn gweld yr un llygedyn o oleuni wedyn!"

Gallai Mr Anthony fod yn hirwyntog ar brydiau, yn enwedig wrth weddïo. Un diwrnod, a fynte a J. M. Lewis yn gweinyddu mewn angladd ym mynwent gyhoeddus Treorci ynghanol storom eira, galwyd ar Mr Anthony i weddïo. Dyma J.M. yn troi ato ac yn dweud mewn llais digon uchel i eraill ei glywed, "Tria fod yn gryno, Anthon bach, neu fydd hi ddim yn werth inni fynd o 'ma."

Wrth sôn am fod yn hirwyntog, cafodd Mr Anthony wahoddiad gan y BBC i bregethu mewn oedfa a fyddai'n cael ei darlledu o'i gapel. Wrth gwrs, byddai rhaid i bopeth gael ei amseru'n berffaith i gydweddu ag amserlen y Gorfforaeth. O ganlyniad, penderfynodd draddodi'r bregeth y Sul o flaen llaw er mwyn sicrhau ei bod yr hyd iawn. Fel arfer, roedd hi'n rhy hir o lawer – mor hir nes i'r gweinidog ei hun ddweud ar ddiwedd yr oedfa, "Bydd rhaid i fi gael y siswrn ma's bore fory." Yn anffodus, clywodd nifer yn y gynulleidfa wr yn sibrwd yn uchel i'w wraig, "Nid siswrn sydd ei angen ond rotary mower!"

★ ★ ★

Un a ddeuai i bregethu i'r Rhondda yn ei dro oedd y Parch. D. L. Eckley, un o feibion ardal hyfryd Ystradfellte. Mae'n debyg ei fod yn llefaru'n gyflym iawn a phan ddaeth i Hermon, Treorci un tro yn fyfyriwr diwinyddol ifanc, fe'i bachwyd gan un o'r diaconiaid wedi oedfa'r bore gan obeithio rhoi iddo air o gyngor. "Mr Eckley, byddai'n talu ichi arafu tipyn wrth siarad gan eich bod yn mynd yn rhy gyflym i bobl eich deall." Fel fflach daeth ei ateb, "Nid fi sy'n llefaru'n rhy gyflym ond chi sy'n meddwl yn rhy araf!"

★ ★ ★

Roedd rhai aelodau mewn capeli yn gwrthwynebu unrhyw ymgais i foderneiddio ac roedd un felly yn Hermon, Treorci pan osodwyd stof yn y festri yn lle'r tân glo. Aeth hi'n ddadl fawr rhwng y rhai oedd o blaid a'r rheiny oedd yn erbyn ac yn y diwedd penderfynwyd taw'r unig ffordd i dorri'r ddadl oedd trwy gynnal cwrdd eglwys. Ar noson y cyfarfod, daeth cynrychiolaeth gref o'r aelodau ynghyd i drafod y mater, gyda'r gweinidog yn y gadair. Wrth iddo geisio rhoi cychwyn ar bethau dyma'r hen frawd oedd yn arwain y gwrthwynebiad yn neidio ar ei draed, "Mr Cadeirydd, ga i ofyn ichi yn garedig ar ddechrau'r cyfarfod fel hyn i ddiffodd y stof gan fod y 'fumes' bron â fy nhagu i."

"Mae'n flin 'da fi," atebodd y gweinidog yn ddifrifol reit, "ond alla i ddim eich helpu chi o gwbl."

"Pam ddim?" dywedodd yr hen frawd yn chwyrn.

"Fel mae'n digwydd, does dim tân yn y stof heno."

Chwarddodd pawb am ben y pŵr dab ac mae rhaid ei fod e wedi sylweddoli ei fod wedi colli'r ddadl cyn dechrau.

★ ★ ★

Eglwysi gelyniaethus iawn i'w gilydd oedd Soar a Saron. Roedd pethau wedi mynd yn ddrwg rhwng y gweinidogion i ddechrau a lledodd y drwgdeimlad oddi wrthynt i blith yr aelodau. Bron yn anorfod, aeth ffaeleddau a rhinweddau'r ddwy eglwys yn destun trafod ac ambell ffrae yn y pwll glo ac roedd gallu a defnyddioldeb y ddau weinidog yn cael eu rhoi yn y fantol yn aml.

Prif lefarydd Saron ymhlith y gweithwyr oedd Seimon yr hewlwr, ac Alfred y ffeiarman oedd yn sicrhau na châi Soar gam. Un diwrnod, cwrddodd y ddau yn y partin ac meddai Alfred wrth Seimon, "Ry'ch chi yn Saron wedi cael organ newydd, on'd y'ch chi?"

"Otyn," atebodd Seimon.

"Wel, dim ond mwnci sydd eisia arnoch chi nawr," meddai Alfred.

"Ia," meddai Seimon – "a dim ond isha organ sy arnoch chi."

★ ★ ★

Adeg Diwygiad 1904-05, cafodd llawer o bobl y cwm dröedigaeth ond, yn anffodus, hanes rhai ohonynt oedd troi yn ôl i'w hen arferion. Un o'r rhain oedd Ifan Harris ac roedd Mr Morgan, gweinidog Saron, yn poeni'n fawr amdano. Galwai yn fynych yng nghartref Ifan i geisio cael gair ag ef ond methai'n lân â'i ddal yn y tŷ. Treulio ei oriau hamdden yn y Crown wnâi Ifan erbyn hynny ac, o ganlyniad, penderfynodd y gweinidog geisio cael gafael arno wrth iddo ddod adre o'i waith yn y pwll glo.

Un prynhawn, safodd yn ymyl y fynedfa i'r pwll wrth i shifft y bore ddod i ben. Gwelodd e Ifan yn cerdded ato ond yn mynd heibio iddo fel milgi. "Mr Harris!" gwaeddodd y gweinidog, ond chafodd e ddim ateb. Dechreuodd gerdded ar ei ôl gan alw ei enw dro neu ddau. Pan oedd ar fin ei ddal, dyma Ifan yn diflannu trwy ddrws y Crown.

Ond nid un i roi'r gorau iddi oedd Mr Morgan ac arhosodd yno nes i Ifan ddod ma's. Doedd dim dianc bellach. "Shwd y'ch chi, Mr Harris?" meddai'r gweinidog gan ysgwyd llaw, "meddyliais gael sgwrs â chi cyn ichi fynd i mewn a cheisio dal eich sylw ar y ffordd o ben y pwll."

Gwnaeth hyn i Ifan deimlo'n euog iawn. "A dweud y gwir wrthoch chi, Mr Morgan, fe'ch clywais chi'n galw a'ch gweld chi hefyd, o ran 'ny, a sylweddolais eich bod yn fy nilyn yn weddol acos. Ond yn wir i chi, cretwch ne' bido – dim ond dicon o arian ar gyfer un peint oedd 'da fi yn fy mhoced, neu fe faswn i wedi aros amdanoch chi."

★ ★ ★

Hen bâr oedrannus oedd wedi mynd yn ffaeledig iawn ac yn gaeth bellach i'w cartref ym Mlaenrhondda oedd Daniel a Martha. Roedd gofal y naill dros y llall yn ddiarhebol yn yr ardal ac er gwaethaf eu diffygion corfforol roedden nhw'n llwyddo i ymdopi. Un diwrnod, galwodd eu gweinidog yng nghapel y Bedyddwyr heibio i'w gweld. Bu'n curo ar y drws am dipyn, cyn i Martha, oedd yn drwm ei chlyw, ateb o'r diwedd. Aeth y gweinidog i mewn a gofyn,

"Shwd y'ch chi heddi, Martha?"

"Lled dde, wir, er gwitha'r hen wynecon 'ma. Ond dw i'n c'el nerth o rwla," atebodd.

"Odych, odych, mae E'n gofalu amdanoch chi, rwy'n siŵr," ebe'r gweinidog gan bwyntio â'i fys i gyfeiriad y Nefoedd.

"Odi, wir," atebodd yr hen wraig, "ond mae e lan llofft ar hyn o bryd yn newid ei drowsus."

★ ★ ★

Un bore Sul gaeafol, a'r eira'n drwch ar y llawr, dim ond Arthur Jones, y diacon hyna, oedd yn byw yn ymyl y capel, a'r gweinidog oedd yn yr oedfa. Ar ôl aros am dipyn i weld a fyddai unrhyw un arall yn dod, dywedodd y gweinidog, "Er taw dim ond tri ydyn ni y bore 'ma, man a man inni ddechrau."

"Tri dwedsoch chi?" ebe Arthur, yn amlwg wedi ei ddrysu.

"Ie," atebodd y gweinidog, gan bwyntio â'i fys tuag i fyny. "Chi a fi a Fe."

"Wel! Wel!" ebe'r hen ddiacon. "On'd ydw i ar fai. Do'n i ddim yn meddwl am ei esgyrn E y bore 'ma!"

★ ★ ★

Yn 1876 daeth Byddin yr Iachawdwriaeth i'r Pentre yn y Rhondda a sefydlu achos sydd wedi para hyd heddiw. Llwyddodd y mudiad newydd i ddenu ambell hen rebel i'w rengoedd, er mawr syndod i fynychwyr y capeli Cymraeg lleol. Ymhlith y pentewynion hyn oedd Dafydd, hen löwr garw nad oedd wedi dangos unrhyw duedd at grefydd cyn hynny. Syndod i rai oedd ei weld yn rhengoedd y Fyddin ond mwy o syndod oedd ei weld ar Sgwâr y Stag un nos Sadwrn yn chwarae'r drwm yn eu band pres.

Wrth iddo baratoi i fynd oddi yno, dyma un o'i hen ffrindiau, un o selogion bar y Lion, yn mynd ato ac yn gofyn iddo, "Dafydd, wyt ti'n fwy hapus bod gyda'r Armi nag o't ti gyda ni yn y Lion?" "Hapus? Weta i wrthot ti nawr. Rwy mor hapus heno, gallwn i fwrw twll yn y blydi drwm 'ma!"

GAN Y GWIRION

Adeg y dirwasgiad yn y dauddegau, dibynnai llawer o deuluoedd ar garedigrwydd siopwyr oedd yn barod i roi nwyddau ar y slat yn y gobaith y caent eu talu pan ddelai pethau'n well. I fod yn deg, dyna a ddigwyddodd ran fynycha ond roedd ambell walch oedd yn eithriad i hyn. Un o'r rhain oedd Twm Mawr. Bu Ifan Lewis, perchen y siop fach yn ei stryd, yn garedig iawn wrtho yn rhoi iddo nwyddau ar goel, ond pan aeth Twm nôl i'r gwaith wnaeth e ddim ymdrech o gwbl i glirio ei ddyledion. Er ei fod yn groes graen doedd dim ar ôl gan Ifan i'w wneud ond mynd ag ef i'r llys.

Cwestiwn cyntaf yr ynad oedd, "Mr Lewis, roioch chi fil i'r cwsmer am y nwyddau?"

"Do, wrth gwrs."

"Wel, beth ddywedodd e?"

"Dywedodd wrtho i am fynd i ddiawl."

"Beth wnaethoch chi wedyn?" gofynnodd yr ynad.

"Dyna, syr, pryd y penderfynais i ddod atoch chi."

★ ★ ★

Fyddai neb yn disgrifio Handel Jones, gwas fferm Glyncoli, yn ddyn galluog. Y farn leol amdano oedd ei fod e wedi mynd i'r ffwrn 'da'r bara ac wedi dod ma's 'da'r byns. Un o hoff arferion criw bar y Lion fyddai profi ei wybodaeth gyffredinol ac un noson dyma un ohonyn nhw'n gofyn iddo,

"Handel, pwy gyfansoddodd 'Messiah' Handel?"

"Sdim clem 'da fi," oedd ei ateb.

"Wel, Handel, meddylia nawr, iwsa dy gomon sens, gwranda ar y cwestiwn eto – Handel, pwy gyfansoddodd 'Messiah' Handel?"

"Shwd ddylwn i wybod?" oedd ateb y gwas.

"Handel, rwyt ti fel bat, 'achan. Handel gyfansoddodd y 'Messiah', mae hynny mor blaen â houl ar bost."

"O'n i'n gwpod taw fe na'th yn iawn, ond o'n i'n trio cofio ei ail enw."

★ ★ ★

Un wit-wat oedd Twm, fel y gwyddai pawb yn yr ardal. Weithiau byddai e'n ddigon serchus a pharod ei sgwrs, ond dro arall yn surbwch ac yn swrth. Ei gymydog drws nesa oedd Sam, hen löwr rhadlon oedd yn dioddef yn enbyd o glefyd y llwch. Un diwrnod, pan oedd yn cerdded i lawr y rhiw rhwng ei gartref a chanol y pentref, pwy welodd e'n dod i gwrdd ag e ond Twm. Aeth Twm heibio iddo heb ddweud na bw na be fel pe na bai'n bod ac ymlwybrodd Sam ei ffordd yn araf i'r pentref. Roedd e yno am ryw awr yn galw yn y siopau ac yn sgwrsio â ffrindiau ond daeth yn amser iddo droi am adre. Roedd dringo'r bryn bron wedi mynd yn drech nag e, ac roedd yn ofynnol iddo aros bob hyn a hyn i adennill ei wynt. Pan oedd e tua hanner ffordd adre, pwy oedd yn dod i lawr i gwrdd ag e unwaith eto ond Twm. "Wel, Sam," meddai fel petaen nhw'n ffrindiau penna, "shwd wyt ti bore 'ma?"

Roedd ymdrech y dringo yn peri bod Sam druan yn ymladd am ei wynt erbyn hyn, ond llwyddodd i ddweud, "Trueni… nag o't ti… wedi… gofyn… ar y ffordd lawr!"

★ ★ ★

Un prynhawn gwelodd y ficer John Jones, aelod selog o'r undeb, yn dod adre o'r pwll yn cario ei holl dacle.

"Beth sy'n bod, John – streic arall?" gofynnodd y ficer.

"Ie, streic arall," atebodd John.

"Beth yw achos y drafferth y tro 'ma, 'te?"

"Dw i ddim yn gwbod, ond ta beth yw e, ry'n ni'n mynd iddi ga'l e!"

★ ★ ★

Roedd gwas fferm o flaen ei well am ddwgyd arian oddi ar y ffermwr oedd yn ei gyflogi. Roedd y dystiolaeth yn ei erbyn yn ymddangos yn ddamniol ac wrth grynhoi, awgrymodd y barnwr i'r rheithgor y dylid ei gael yn euog. Fodd bynnag, er mawr syndod i'r barnwr ac i bawb oedd wedi gwrando ar yr achos, cyhoeddodd y pen-rheithiwr ei fod yn ddieuog. Yn wyneb y dyfarniad annisgwyl hwn, dywedodd y barnwr wrth y gwas yn ei Saesneg coeth nad oedd ganddo ddewis ond ei ryddhau. O sylweddoli bod y gwas yn hapusach yn siarad Cymraeg na Saesneg, gofynnodd a oedd yn deall y dyfarniad. Cyfaddefodd y gwas fod y gair 'acquit' yn peri tipyn o benbleth iddo a gofyn, "Ydy hyn yn golygu bod rhaid i fi dalu'r arian nes i ddwgyd yn ôl?"

SHIFFT NOS

Un o'r cyfranwyr cyson i *Tarian y Gweithiwr* oedd Tom Davies, Cymer Rhondda. Hoffai ysgrifennu am hen gymeriadau'r cwm, fel yr hanesyn hwn am synnwyr digrifwch George Abblett, glöwr a gŵr cyhoeddus.

'Ryw dro yr oedd brawd brwdfrydig yn Nhafarndy y Rheola, Porth yn ceisio dangos i wraig y tŷ mewn dull ymarferol iawn sut yr oedd y colier yn gwneud ei waith dan y ddaear. Yno yr oedd y brawd yn gorwedd ar ei hyd ar yr aelwyd â'r pocer yn ei law yn dangos sut yr oedd torri'r glo. Ac ebe'r dyn wrth y wraig, "Fel hyn ma' nhw'n gwneud."

"Ie," meddai George, "ac fel hyn ma' nhw'n ca'l eu lladd," a thorrodd y cordyn oedd yn dal yr ystlys gig moch oedd yn hongian uwch ei ben.

"Ma' pob colier da bob amser yn testo'r top cyn dechre gwitho," meddai George ac ar yr un pryd yn helpu'r dyn i ddod yn rhydd dan bwysau'r ystlys!'

★ ★ ★

Mae'n rhyfedd fel y mae dywediadau bachog, lliwgar a doniol yn aros yng nghof y werin ymhell wedi i'r rhai a'u llefarodd ymadael â ni. Mae hynny'n wir am ardal Treorci. Un ffraeth iawn ei dafod a llym ei farn ar ei gydfforddolion oedd Edwards y Bwtsiwr. Un diwrnod, roedd e'n sgwrsio ag un o'i gwsmeriaid ar ben drws ei siop pan gerddodd Miss Mullins, gwraig o gymeriad amheus iawn, heibio iddyn nhw yn gwisgo cot ffwr a ymddangosai'n arbennig o ddrud. Synnai'r cwsmer at ei steil a gofynnodd i Edwards, "Beth y'ch chi'n feddwl am y got 'na, 'te?" "Dyna beth dwi'n galw rhoi drws mahogani ar y tŷ bach," oedd sylw'r bwtsiwr.

Dro arall trodd y sgwrs at rinweddau ffagots y gwahanol fwtsieriaid yn y dre. Dywedodd Edwards, "Dw i byth yn bwyta ffagots unrhyw fwtsiwr arall yn y lle achos does gen i ddim syniad beth sy ynddyn nhw. Ac, yn sicir, dw i ddim yn bwyta fy ffagots i fy hun gan 'mod i yn gwybod!"

★ ★ ★

"Glywsoch chi, fechgyn, fod Ianto Dou Beint wedi marw?" gofynnodd Dai Shani yn y lamprŵm ryw fore.

"Ym mhle, Dafydd?" gofynnodd rhywun.

"Yn y wyrcws," meddai Dai, "ac fe wyddwn i'n dda taw yno y byse fe'n marw. Ac fe wydde fe'i hunan hefyd."

"Wel, wir," medde'r hen Daniel, "fe licswn i wpod lle bydda i farw, ta beth."

"I beth?" gofynnodd Dai.

"I fi gael catw o 'na."

Pan oedd gwersyll milwrol yn y Rhyl adeg y Rhyfel Byd Cyntaf, roedd yno nifer o lowyr o'r Rhondda. Un bore aeth un ohonyn nhw at uchel swyddog o Gymro i ofyn a gâi 'leave' am fod ei wraig yn wael iawn yn Nhreorci.

"Aros di," meddai'r swyddog. "Do's dim whech wsnoth oddi ar pan gest ti 'leave' ddiwetha, o's e?"

"Eitha gwir, syr," medde Shoni, "ond mae'r wraig yn dost iawn, ac mae am fy ngweld am y tro ola."

"Wel," medde'r swyddog, "dere nôl i 'ngweld

i tua whech o'r gloch heno ac fe gawn ni weld."

Daeth chwech o'r gloch a dyma Shoni o flaen y swyddog unwaith eto.

"Ie, nawr, ti oedd yma y bore 'ma, yntefe?"

"Ie, syr," mynte Shoni gan gyffwrdd pig ei gap.

"Nawr 'te, fachgen," medde'r swyddog. "Rwy wedi dy ddal. Ffonies i Dreorci i gael gwybod os oedd dy wraig yn wael a chael ateb yn ôl yn dweud ei bod hi'n olreit."

Safodd Shoni'n drist a dweud yn ddwys, "Taswn i'n dweud yn onest beth sy ar fy meddwl i, ysgwn i fyddech chi'n fy nghosbi?"

"Wel, dwed beth sy ar dy feddwl, inni gael gweld."

"Na, dwedwch y gwir, syr. Fyddech chi'n gas 'da fi?"

"Cer ymla'n a dweud beth sy 'da ti i ddweud. Bydd popeth yn iawn."

"A dweud y gwir, syr, dau glwddgi'r diawl y'n ni achos do's dim gwraig i ga'l 'da fi."

★ ★ ★

Hen gymeriad yn yr ardal oedd Twm Shâr o Beint, llysenw a gafodd oherwydd ei fod bob amser yn cynnig siâr o'i beint i unrhyw un a ddelai i mewn i'r Cardiff Arms. Un prynhawn, pwy gerddodd i mewn i'r bar ond manijar y pwll, gŵr ffroenuchel nad oedd yn uchel ei barch gan y gweithwyr. Beth bynnag, dyma Twm yn ôl ei arfer yn gwahodd y gŵr bonheddig i gyfranogi o'i beint. Ond dyma hwnnw yn troi ato a dweud yn sarrug,

"Dwyf i ddim yn arfer yfed o gafnau moch."

"Wel, beth diawl y'ch chi'n wneud yn y twlc 'ta?" meddai Twm er mawr ddifyrrwch i bawb yn y bar.

★ ★ ★

Roedd goryfed wedi mynd yn broblem i Dai Bowen ac yn dechrau effeithio ar ei fywyd teuluol. Gymaint felly nes i'w wraig fynd at Dr Tribe, y doctor lleol, a chrefu arno i geisio gwneud rhywbeth i'w helpu. Chwarae teg i'r meddyg, aeth e i mewn i far y Crown lle y gwyddai y byddai Dai. Gwyddai hefyd fod golwg Dai yn gwaethygu a phenderfynodd geisio codi ofn arno. "Dai," meddai, "os na roi di'r gore i'r yfed 'ma, cyn bo hir fe fyddi di'n ddall." Trodd y doctor ar ei sawdl a mynd ma's gan adael Dai mewn tipyn o sioc. Roedd y bar wedi mynd yn dawel yn sgil

dyfarniad y meddyg ond edrychodd Dai ar ei
ffrindiau, wedyn ar ei beint. Yn bwyllog iawn,
fe'i cododd at ei wefusau ac wrth gymryd dracht,
cyhoeddi i bawb, "Ta ta licid bech!"

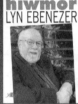

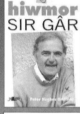

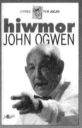

Am restr gyflawn o lyfrau'r Lolfa, mynnwch
gopi am ddim o'n catalog
neu hwyliwch i mewn i'n gwefan

www.ylolfa.com

lle gallwch archebu llyfrau ar-lein.

TALYBONT CEREDIGION CYMRU SY24 5HE
ebost ylolfa@ylolfa.com
gwefan www.ylolfa.com
ffôn 01970 832 304
ffacs 832 782